KB096330

학교에서

동성연인이

생겼습니다

개

이름: 이랑 (李狼)

성별: 남자

특징: 팔과 다리 가슴, 잘 가려지는 신체 부위에 상처가 많음

나이: 18세

성격: 차갑고 피도 눈물도 없는 성격이며 자신의 약한 모습을
잘 보여주지 않는다, 사람을 못 믿지만 그래도 사회생활을 위해
반응 연기해서 여태까지 사람들을 속여 왔다. 눈물을 잘
흘리지 못하며 흘리지 않기 위해 애쓰는 중이라고 마음속
한쪽에는 애정표현을 받고 싶다는 여린 마음이 있지만 그것도
숨기고 살아간다.

여태까지의 경험: 그 누구보다도 살아가고자 하는 의지가 뛰어남,
무수히 많은 상처에도 굴복하지 않지만, 어느 사건으로 인해
모든 의지를 잃고 무수히 많은 자살 시도를 한 뒤에
그 이후 더는 하지 않기 위해 견디려고 애쓰는 중이다.

좋아하는 것: 친구, 남자, 애정표현, 떡볶이, 반려동물

성적 취향: 동성애자

이름: 상호랑(虎狼)

성별: 남자

특징: 몸집이 크며 배는 통통하지만, 가슴과 팔, 다리 쪽은 근육으로 돼 있다.

나이: 18세

성격: 따뜻하고 부드러운 성격의 소유자다. 자신의 약한 모습을 잘 보여주는
솔직한 성격이며, 사람을 잘 믿지만 잘 착각해 기를 사람은 기른다…. 자신의 말을 잘 따르는 멍멍이 같은 사람을 찾고 있다. 누군가를 자신의 멍멍이로
기르고 싶다는 마음이 있다.

여태까지의 경험: 운동을 하며 자신의 몸을 단련했다 그 기간은 자신이 9살 때부터 취미로 해왔던 것이라고 한다. 배는 많이 먹다 보니까 몸집은 커지는데
배는 더 나와 버렸다고….;;
상담사로서도 자질이 충분하다. (그것으로 자신이 좋아하는 사람을 길들일뿐더러 사람들의 마음을 곧바로 알아챘다고 한다.)

좋아하는 것: 남자, 애정표현, 반려동물, 버섯

성적 취향: 양성애자

이름: ???
성별: 남자
나이: ???
특징: ???
나이: ???
성격: ???

특이사항: 아저씨. 밤에 주로 나타나서 이랑을 주로 노린다.

목 차

프롤로그

나는 이랑이다. 그저 18살 학생 친구가 많았었다. 근데 갑자기 하늘이 무너지도록 내게 끔찍한 일이 생겼다.

"갑자기 나를 왜 떠나는 거야? 무슨 이유로?"

"그냥, 뭐 이제 네가 지겹다고 해야 할까? 너의 그 밝은 모습 이제 지겨워.
나는 그러지 못하고 매일매일 절망에 빠져 사는데 너는 그걸 눈치 채지도 못하고 그래서 똑같이 느껴 보라고"

"이렇게 갑자기?! 왜…. 제발 가지 마…."

"됐고 잘 있어, 다신 보지 말자"

"뚜…. 뚜…. 뚜,"

그렇게 그 친구는 다시는 땅을 밟을 수 없는 존재가 되어버렸다.

친구를 떠나보낸 수가 8명이 넘어간다. 나도 똑같이 시도를 해보지만, 실패로 돌아가기 일쑤였다. 그래서 그냥 꾸역꾸역 버티는 중이다. 그 친구를 잊으려면 살아서 잊는 수밖에 없었다.

그렇게 떠나보내고 다시 학교생활로 돌아간 뒤 기숙사로 돌아가는 중 내가 좋아하는 얘를 만나게 되었다. 하지만 내 마음이 자꾸 밀쳐냈다. 그 친구가 내게 눈을 마주쳤다! 그 친구가 온다…. 마음과는 다르게 좋은 감정과 설레는 감정이 느껴진다. 이상한 느낌이다.

첫 만남

"안녕~ 같이 편의점 갈래? 내가 사줄게~"

하필 이나 밥도 못 먹었던지라 배가 고팠다. 거절하려 했지만, 배꼽시계가 먼저 울려버렸고 편의점으로 들어가 삼각김밥을 하나 샀다.

"그거 밖에 안 사는 거야? 배고플 텐데 괜찮겠어."

"응 괜찮아"

애써 괜찮은 척했다. 내 연기에 속아 넘어간 사람이 많기에 오늘도 연기용 반응했다.

"알겠어."

그렇게 다 먹고 난 뒤 떠나려고 할 때 그 친구가 내 이름을 물었다

"너는 이름이 뭐야?"

"나? 이랑. 너는?"
"나는 상호랑 18살이야"

"나도 18살인데 동갑이네!"

"그러게 그런데 너 나 기억 안 나? 우리 전에도 만난 적 있는데. 기숙사에서 같은 방 쓰고 있었는데 너 엄청나게 어색해해서 한마디도 못 건넸잖아. ㅋㅋㅋ"

"아 기억나, 그런데 이번에도 우리 같은 방 같던데, 확인해 보고 왔는데. 네 이름 있더라고,"

"그래? 그러면은 다시 잘 지내보자 잘 부탁해"

"그래 "

"일단 시간도 늦었고 한데 우리 기숙사로 돌아가자. 선생님께 혼나겠다."

"그래."

우리의 방은 402호 원룸이었다. 다른 얘들도 거의 접점이 없는 곳에 우리의 방이 잡힌 것이다.

"일단 우리가 402호 원룸, 얘들이 없으니 그나마 괜찮네."

"그래? 나는 좀 심심할 것 같은데."

"나는 혼자가 좋아서"

"일단 들어가자"

끼이이익…. 얼마나 접점이 없었던 것일까…. 쇠문이 녹이 슬어 끼익…. 소리가 들리고 바닥은 곰팡이가 슬어서 보기에도 흉하고 더러웠다. 이쯤 되면 '선생님이 우리를 싫어하는 걸까?'하고 의심이 들을 정도였다. 갑자기 상호랑이 말을 건넸다

"일단 들어가자."

나는 놀라서 소리치듯이 말을 했다.

"너 비위 진짜 좋다. 이렇게 더러운데 들어갈 수 있겠어?"

"아니 그냥 청소하고 들어가려고 하는 것뿐이야."

'청소기구가 있다고? 특이한 애네. "
나도 그런 말 할 처지는 아니었다. 내가 지금까지 10년 넘게 매고 다닌 가방에도 청소도구는 들어있었으니까.

내가 물었다.

"도와줄까?"

그 친구는 고맙다는 듯이

"당연하지~" 라고 말했다.

그렇게 기숙사의 첫 생활이 기숙사 방 대청소였다. 화장실이며 바닥이며 베란다며 진짜 더러운 곳이 배틀그라운드의 첫 페이스처럼 분포 화 되어있어서 속이 뒤집힐 뻔했다. 심지어 대변으로 막힌 변기에 벌레시체가 그대로 있는 베란다라…'이것은 진짜 노리신 건가?' 하고 의심이 들었지만 뭐 대수라~ 벌레는 치우면 되고 변기는 뚫으면 되지라는 생각이 드는 찰나에 누군가 소리를 질렀다.

"으악!!! 어거 뭐야!! 망할…!!!"

나는 곧장 뛰어갔다.

그 친구는 바로 아니나 다를까. 상호랑였다. 전에 생각해보니 상호랑은 몸집은 큰데 벌레는 무서워했던 거로 기억이 난다. 내가 말했다.

"또 벌레냐? 으이구 증말…. 어? 이번엔 살아있네."

나는 벌레는 내 손으로 유인해서 그대로 기숙사 계단을 내려가 그대로 땅바닥에 놔주고 다시 돌아왔다. 상호랑은 아직도 무서운지 떨고 있었다.

"야 벌레 다 갔거든."

상호랑이 그냥 떨자 내가 가까이 갔다. 그 순간.

"내가 무서워하는 줄 알았나?!" 하며 내 손을 갑자기 잡아끌더니 안았다.

엄청나게 놀란 나머지 순간 뿌리쳤다. 욕이 나오려고 하는 것을 간신히 참고 물었다.

"너…. 지금 뭐. 하는 거냐?"

그렇게 말하자 상호랑이 놀랐다는 듯이 말을 했다.

"그냥 안아 둔 건데…. 야, 진정해라 그 눈빛으로 누구 보면 심정지 오겠네 ㄱㄱㄱ"

나는 그 순간 내 눈빛을 알아차리고 눈을 풀었다. 상호랑이 말했다.

"안아주는 거 가지고 너무 민감한 거 아니야?"

"그래 민감하긴 했지…. 미안하다"

그리고 다시 청소를 이어나갔다. 상호랑은 벌레가 나오면 나를 계속 불렀다. 그렇게 밤이 된 뒤 나는 침대에 누웠다. 역시나 잠이 오지 않았다. 그렇게 또 밤늦게 책을 읽고 있었는데 갑자기 뒤에서 누군가 안아 주는 것이 느껴졌다. 또 놀라서 벗어나려 했지만, 너무 꼭 잡고 있던지라 풀려나지도 못했다. 그렇게 손이 점점 내 몸으로 오기 시작했다. 이 순간에도 나는 이 손이 누군지. 어떻게 빠져나가야 하는지 계속 머릿속으로 되뇌고 있었다.

이상한 밤

'이 손 크고 두꺼워, 뒤로 닿는 느낌은 큰 배가 느껴지고 큰 가슴? 운동했나?'

"야 상호랑…. 지금 손 안 때냐?"

상호랑인지 아닌지 구별이 안 되었지만 일단 말해보았다. 하지만 그 발언을 들은 건지 안 들은 것인지. 그렇게 그 손은 내 배 쪽으로 와 배를 쓰다듬어주었다. 무언가 이상하지만 좋은 느낌이다. 나는 내가 좋아하는 사람한테도 의심하고 본다. 그러기에 방어본능은 자동으로 나온다. 하지만 지금, 이 순간은 그런 것들이 생각이 안 날 정도로 느낌이 너무 좋았다. 배를 쓰다듬어주는 손이 계속 쓰다듬어주자 나는 순간 힘이 풀려 잠이 들어버렸다. 그렇게 다음날이 되고 나는 서서히 눈을 떴다. 아침이었다. 나는 바로 일어나 상호랑 침대 쪽을 살펴보았다. 상호랑은 잠이 들어있었다. 나는 바로 상호랑을 깨워 물어봤다.

"야 늑개 상호랑. 일어나!!!"

"악! 내 귀…. 뭐야 왜?"

"어제 내 배를 누군가가 쓰다듬었는데 그거 너야?"

"내가 어떻게 알아. 난 배가 침대에 누운 걸 들은 이후로 잠들어서 모르는데. 그리고 너는 낯선 사람이 들어왔었으면 신고 했어야지. 그걸 물어보는 너도 대단하네 ㄱㄱㄱ"

"일단 알겠어."

그렇게 의문이 들었지만 애써 무시하고 수업을 듣고 다시 기숙사로 돌아갔다. 그곳에는 상호랑이 있었다.

"여 왔나?"

"너도 방금 들어 왔나 보네."

"응 나도 방금 막 들어온 참이야."

나는 노트북을 열고 그대로 리듬 게임을 시작했다.

"너는 리듬 게임 진짜 좋아 하드라 여기 오기 전부터 이 리듬 게임만 했다며"

"응 그냥 이 게임이 좋아서 그래"

"나도 그 게임을 하는데 같이 대결할래?"

"좋지"

"벌칙은 뭐로 하실?"

"벌칙 하지 말어, 나 그거 싫어."

"좋아 시작!!!"

그렇게 리듬 게임 대결이 시작되고 난 뒤 1시간이 지났다. 그리고 산책을 한 뒤 밤이 되고 난 뒤. 이번에는 확실히 상호랑이 자고 있나. 안 자고 있나 확인한 뒤에 잠들려고 했으나 또 잠이 안 와서 또 혼자 리듬 게임을 하고 있었다. 그런데 또 갑자기 뒤에서 끌어안고 움직이지 못하게 했다. 이번에는 확실하게 상호랑 침대 쪽을 봤는데 상호랑은 잠을 자고 있었다. 너무 소름이었다. 이 사람은 그러면 도대체 누구지? 나는 놀라 소리를 질렀지만, 사람은 아무도 오지 않았다. 너무 무섭고 두려웠다. 나 이렇게 잡혀가는 건가? 죽는 건가? 이거 납치당하는 건가? 라며 오만가지 생각이 다 들었다. 아뿔싸!!! 이번에는 손이 목 쪽으로 오고 있었다. 죽기 싫은 마음에 발버둥 쳐봤지만, 힘이 너무 강해서 소용없었다. 제발 살려달라고 외치려고 했지만, 너무 두려운 나머지 목소리도 나오지 않았다. 너무 무서운 나머지 눈물까지 나오려고 했다. 그런데 그런 나를 빤히 쳐다보더니. 그냥 그대로 안아 주고 또 어제와 같은 일이 일어났다. 내 배 쪽으로 가 또 쓰다듬었다. 너무 편안했지만 잠들지 않으려고 노력했다. 언제 죽을지 모르는데…. 이대로 눈 감으면 내가 죽어있을지도 모르는데!!! 나는 살아있기 위해 계속 깨어있었다. 그런데 그 사람이 갑자기 말을 했다.

"걱정하지마. 멍멍아…. 허허… 널 해치지 않아…."

"저…. 저…. 리…. 가……. 요……."

무서운 나머지 말이 제대로 나오지 않았지만, 겨우겨우 말을 했다. 참 변태 같은 말이다. 그리고 그 음흉한 웃음…. 너무 소름이 끼쳤지만, 신기하게 '멍멍아'라는 말에 마음이 편안해졌다. 나도 내가 이런 게 너무나 부끄러웠지만 그래도 신기하게 안심은 되었다. 하지만 계속 의심해야 한다. 해치지 않는다면 어떻게 할지 몰라 혹시 몰라

저 말이 거짓말일지…. 그 사람이 또 입을 열었다.

"널 해치지 않아 거짓말도 아니야…. 너 어제부터 봤는데 잠도 잘 못 자고 그치? 나도 너 잠 못 자는 거 보면 속상하니까 얼른 자자."

"그…. 걸…. 어떻게…. 게…. 알…….."

"쉿. 얼른 자…. 멍멍아 토 달지 말고…."

그렇게 두 손 모두 내 머리와 배 쪽으로 가서 쓰다듬고 어루만져주었다…. 자면 안 된다는 것을 알고 계속 실랑이를 벌였다. 그러자 그 사람이 한 말 한마디가 날 잠들게 했다.

"너 무섭지…? 그래 얼마나 무섭겠니. 네 친구는 잠들어서 도와줄 사람도 없고 그치? 하지만 무서워하지 마라. 멍멍아, 그냥 네가 힘들 때 잠들기 힘들 때 도와주는 사람이야…. 네가 잘 잠들면 나타나지 않을 거란다 너는 앞으로 나와 자주 만나게 될 거야. 하지만 걱정하지 마라 무슨 일이 있어도 너를 해치는 일은 결코 없을 거니까. 자자 얼른 멍멍아 코낸내하자"

이상하게 안정이 되었다…. 공감을 해주는 사람은 이번이 처음이었다. 내 마음이 한겨울에 난로 앞에 있는 몸처럼 따뜻해져서 잠이 들었다….

이상한 아저씨

그렇게 최근 일주일간은 별일이 없었다. 그저 평소와는 다르게 잠이 잘 왔다. 그분이 왔다 가서 그런가? 밥 먹고 리듬 게임을 하고 기숙사 청소하고 자고 계속 하루하루가 반복되는 지루한 날이었다. 그런데 오늘도 잠이 안 와서 침대에 계속 누워만 있었다. 그런데 이번에도 아니나 다를까. 그분이 또 왔다. 이번에는 그분은 아무런 행동도 하지 않고 나를 빤히 쳐다볼 뿐이었다. 그리고 나도 빤히 쳐다보다가 시선을 피했다. 그렇게 그분은 나를 계속 빤히 쳐다보셨다. 생각보다 그리 불편하지는 않아서 혼자서 캠프파이어 영상을 틀고 조용히 보고 있었다. 그분도 같이 보고 싶으신 듯 내 곁에 와서 내 어깨에 턱을 기대셨다. 아직도 무섭긴 했지만 나를 해치지 않으실 것 같아 그냥 내버려 두기로 했다. 그렇게 점점 놀다가 심심해졌다. 그런데 그것을 마치 기다리신 듯

"심심해?" 라고 물어보시는 그분

나는 무섭긴 했지만 솔직하게
"네 심심해요⋯." 라고 말했다.

그분은 자신은 나처럼 컴퓨터게임을 못 한다며 공기를 가지고 오셨다. **'나이가 어느 정도 되시는 분이신가?'** 라고 생각하고 더 할 것도 없어 공기하기로 했다. 그런데 생각보다 재밌었다. 공기, 마치 마라카스 같은 소리와 육각형의 매끄러움과 빨강, 파랑, 핑크 등 여러 가지 색깔의 공깃돌. 오랜만에 하는 공기인지라 더 재미있게 놀았다. 그렇게 푹 빠져 공기놀이를 신나게 했다. 마지막 점수만 얻으면 이기는 상황이다. 내기는 25년 내기, 나는 22년 그분은 23년이셨다. 마지막 5단계에서 공깃돌을 던졌는데, 왜 하나만 올라온 것인

지…. 일단 1개라도 잡고 23년으로 올라갔다. 그런데 그분은 2개가 올라가서 간발의 차이로 내가 졌다…. 너무 안타깝다!!! 그때 1개만 안 올라갔어도 내가 이길 수 있었는데!!! 그분이 말했다.

"내가 이겼네! 하하 벌칙은 준비됐지?"

나는 너무 당황스러웠다!

"네?! 벌칙이라고요?"

처음에는 그런 말이 없었다. 그리고 벌칙이 당연히 없을 그거로 생각했다. 하지만 그것은 내 착각이었다. 물어보지 않은 내 잘못도 있었다. 그런데 벌칙이라고?!! 너무 황당하다….

"게임에는 벌칙이 있어야 재밌어"

"하지만 저는 벌칙이 없을 줄 알았는데….”

그분이 나에게로 다가오기 시작했다. 나는 벌칙을 받기 싫었고 이리저리 피하다가 결국 그분 손아귀에 잡혔다…. 마구 발버둥 쳤다. 하지만 소용이 없었다. 그저 애교라고 생각했던 건지. 그저 피식 웃기만 할 뿐이었다. 기분 나빴다….

"벌칙 받을 시간인데~ 준비는 됐어?"
"싫어요…. 저 벌칙 무섭단 말이에요….”

머리는 수만 가지 생각으로 가득 찼다. 어떤 벌칙을 하실까…. 너무 무섭다…. 그런데 그저

"톡"하고 치실 뿐이었다 내가 어안이 벙벙한 눈빛으로 바라보고 있을 때 나를 풀어주시고 내 손을 잡아주셨다. 그분을 다시 바라보자, 그분은 그저 나를 보며 웃으실 뿐이었다. 뭔가 기분이 나쁘지 않았다. 이상했다. 정말 이상했다. 하지만 신기한 감정이 들었다. 마음이 계속 빠르게 뛰는 것이 느껴졌다. 그렇게 그분은 사라지셨고 나는 자러 갔다.

친구와 이야기

그렇게 일주일이 또 지나고 학교가 쉬는 날을 맞이했다. 하지만 기숙사에서 놀 사람을 모아서 그 사람들은 남게 하고 나머지는 집으로 돌려보냈다. 나는 학교에서 상호랑과 남기로 했고 나머지는 집으로 돌아갔다. 학교에서 우리는 즐겁게 지냈다. 아침에 일어나, 학교에서가 아닌 밖에 나가서 떡볶이를 사서 나눠 먹었다. 나는 떡볶이를 진짜 진짜 좋아한다. 떡의 말랑말랑함과 매콤한 양념과 거기에 당면과 소시지도 추가해서 나눠 먹는 맛이란 진짜 **'나눠 먹으면 배가 된다는 사실이 어떨 때는 바르다는 생각이 들었다'** 그렇게 떡볶이를 다 먹고 기숙사로 들어가 같이 게임을 했다. 리듬 게임도 하고 보드게임 중의 하나인 루미큐브와 뱅을 하며 시간을 보냈다. 서로 이야기도 하면서 지냈다

"**너는 원래 휴일 때 뭐하냐? '**"

"리듬 게임을 하고 핸드폰 게임을 하거나 책 읽는데 왜?"

"**그냥 궁금해서 서로 친구인지 어느 정도 돼가는데 이런 이야기를 별로 해본 적이 없잖아. 이렇게 만날 시간도 없었고 수업 때문에 바빠가지고 그래서 지금 얘기하는 거야. 지금 가족은 누구누구랑 살고 있어?**"

"아빠랑 살고 있어. 누나도 있는데 누나는 자취 갔어."

"누나분은 몇 살이셔?"

"21살 3살 차이나 나랑 누나가 나한테 진짜 잘해줬거든 그래서 누나가 자취 간다고 했을 때 진짜 슬펐지"

"왜 슬펐는지 자세히 말해줄 수 있어?"

"그거는 우리가 더 친해지고 나면 알려줄게. 다른 얘기 하자."

"그러면 너희 아버지는 어떤 분이셔?"

"우리 아빠? 그냥 그래. 그리 친하지도 않아서 중립적인 관계야."

"왜?"

"이런저런 사정이 있어. 그건 나중에 알려줄게."

'나중에? 언제?'

"언젠가는 말해줄 게 조금만 기다려줘."

그렇게 서로 이야기를 하다가 상호랑이 자신의 고민을 말했다.

"나는 대인관계에서 고민이 많아."

"그래? 너 다른 얘들이랑 원만하게 잘 지내잖아"

실제로 상호랑은 선생님과 친구들 사이에서 인기가 많았다. 항상 밝고 긍정적이어서 다른 얘들이 항상 *'너와 함께 있으면 내가 더 밝아진다 ㅋㅋㅋ'* 이라고 말한 적이 많았다.

"밝게 유지하는 게 워낙 쉽지가 않아서 말이지…."

"그래? 뭐가 그리 힘든데?"

"나도 어느 정도 책을 읽어서 개인관계에 대한 건 잘 알고 있어. 내 생각은 다른 사람들은 우울한 사람보다 긍정적인 사람을 더 선호한다는 사실. 유머러스한 사람이 더 인기가 많다는 사실. 그래서 그 규칙을 따르는 거야. 진짜 진정한 내가 아닌데도 억지로 꾸역꾸역."

"힘들면은 그만두면 되잖아? 뭐 그리 힘들 게 있어?"

"한번 시작한 걸 멈춘다는 건 진짜 쉽지 않은 일이야 이왕, 네가 지금과 있는 위증 게임을 멈추기 쉽지 않은 것처럼 나도 마찬가지야. 습관이 되어버렸고 멈출 수 없게 되었어."

"내가 그거 하나만 알려줄까? 늑개야, 나도 같은 상황을 느껴 본 적 있어 힘들고 한번 시작했는데 포기하긴 이르기로 하고, 그것 중에 탁구도 있었다? 내가 탁구를 3년 전부터 시작하고 꿈으로 바꾸려고 했어. 그런데 그냥 포기했다~ 왜인지 알아?"

"아니 왜?"

"그건 내가 진짜 원하는 게 아니다. 라고 생각이 났기 때문이야. 진짜 내가 하고 있는 게 사실은 내가 원하지 않을 수도 있다는 얘기야. 그래서 나는 탁구를 취미 생활로 바꾸고 다른 것으로 나아가고 있어. 그리고 나도 탁구가 습관이었지. 그리고 너처럼 멈추기에는 아깝다고 생각도 들었고 말야. 그래서 그냥 취미로 바꿨지. 내가 알려주고 싶은 것은 네가 지금 하는 게 네가 진정 원하는 건지 생각해보라는 거야. 그것을 해서 행복한지, 유용성이 있는지, 미래에 이걸로 임해서 나아지는 게 있는지 등등 여러 상황을 고려해야 해. 그리고 하나 더 첫 번째로 가장 중요한 건 너라는 것 네가 행복하지 않으면 다른 사람도 행복해질 수 없어. 너를 다른 사람 챙기는 것처럼 아끼고 사랑해줘. 그러면 네 고민은 웬만하면 해결 될 거야."

"알겠어, 고마워 한번 노력해볼게!!"

"여태까지 많이 힘들었겠네…. 다른 사람들 다 받아주느라…."

"맞아…. 힘들었어"

"이제는 좀 내려놔…. 네 마음을 쉽게 해줘"

그렇게 말한 뒤 나는 화장실로 가서 씻고 상호랑도 화장실로 가서 씻었다. 그때 호기심이 들었던 나는 화장실이 살짝 열어져 있어. 그곳을 보기 시작했다. 상호랑의 몸은 배가 많이 나와 있었다. 그리고 팔과 다리에 근육이 엄청나게 다부져 있었다. 몸이 엄청 좋다고 생각했다.

아저씨의 손

그렇게 상호랑이 나오고 난 뒤 우리는 또 산책하러 나갔다. **'좋은 날씨다~'** 바람은 선선하게 불며 내 몸을 스쳐 지나가고 그늘에서 쉬면서 내가 좋아하는 사람이랑 같이 있는 시간이란…. 정말 낭만적이었다. 그리고 그렇게 또 이런저런 이야기를 나누다가 해가 점점 기울고 달이 떠올랐을 때 기숙사로 들어갔다. 그렇게 또 나는 리듬 게임을 하려고 노트북을 켜고 친구는 먼저 잔다고 한 뒤 침대에 누웠다. 그렇게 몇 시간이 지났을까 벌써 새벽이 되었다. 역시 아니나 다를까 그분이 지켜보고 있었다. 그분이 물었다.

"지금 어떤 거하고 있는 거야?"

"아, 이거 OSU라고 리듬 게임이에요. 재밌는데 한번 해보실래요?"

"못하는데 알려줄 수 있어?"

"네 좋죠"

그렇게 나와 그분은 같이 OSU를 했다. 그리고 말과 다르게 그분도 어느 정도 실력은 있었던 것 같다. 잘하시고 훌륭하셨다. 그리고 다 하신 뒤 가려고 하신 줄 아셨는데 갑자기 내 뒤로 가 뒤에서 껴안으신 뒤 그대로 배를 또 쓰다듬어 주셨다. 하지만 이번에는 뭔가 달랐다 배에 있던 손이 점점 위로 올라가 가슴 쪽으로 가서 쓰다듬어 주고 머리에 손을 또 얹으신 뒤에 계속 쓰다듬어주셨다. 나는 예상치 못한 상황에 깜짝 놀랐지만 편안한 마음이 들었다. 그래서 그냥 그분께 말을 건넸다….

"그…. 아저씨…."

"왜? 멍멍아."

"배랑 머리 쓰다듬어주시면 안 돼요?"

"당연하지 아가 멍멍아. 우리 멍멍이 쓰다듬 좋지?"

그렇게 아저씨의 크고 단단한 손은 내 배와 머리로 갔다 그리고 부드럽게 쓰다듬어주셨다. 아저씨의 손은 굳은 살이 많이 있고 딱딱했지만 나에게는 너무나도 든든하며 부드러운 손 이었다. 너무나도 좋아서 마음이 편안해지고 가슴이 두근거렸다. 너무나 행복하다. 그렇게 오늘도 쓰다듬을 받다가 잠이 들었다.

정의있는 늑대가 되고 싶어

다음 날 아침, 아직도 학교는 쉬는 날이다. 오늘은 상호랑을 안 깨우고 푹 자라고 놔둔 뒤 나 혼자서 기숙사를 나가서 산책했다. 새가 지저귀는 소리, 바람은 살랑살랑 불고 정말로 좋은 날씨구나~ 라고 생각했다. 밖에 나오길 잘했어~ 라고 생각했다. 그렇게 계속 산책을 한 뒤 중국집에 들어가서 짬뽕을 시켜 먹었다. 맛있게 먹고 난 뒤, 기숙사에 돌아가고 있었다. 이번에는 어떤 건달 아저씨가 있는 게 보였다. 누군가를 괴롭히고 있는 것 같았다. 그래서 그 건달 아저씨께 다가갔다.

 "저기요, 아저씨? 여기에서 뭐하시고 계십니까?"

"어이 꼬마 저리 안 비키냐? 어른이 바쁘잖냐…."

 "네? 지금 뭣 때문에 바쁘신지 직접 말해보시지 그러세요?"

"그냥 돈이 없어서 얘들 돈 뺏고 있다. 됐냐?"

어떻게 이렇게 사람이 뻔뻔할 수가 있는지…. 역시 사람이라는 건알 수가 없다.

 "저기요, 얘들의 돈을 뺏는 건 도덕적으로 잘하는 짓이라고 생각하십니까? 범죄인 건 선생님도 잘 알고 있을 그거로 생각합니다만"

"네가 뭘 상관이야!!!"

"당연히 상관있죠, 당신이 하는 것은 엄연한 범죄, 심지어 청소년한테 그런 짓을 하다니, 세상이 무섭지도 않습니까?"

"뭐 내 알 빠냐?"

"뭐라고 하셨습니까?"

나도 모르게 내 몸이 전투태세로 들어갔다. 그 모습을 본 그분은 몸이 움찔거렸다.

"그러다가 한 대 때리겠다.~"

"네 당연하죠!!!"

힘 조절을 잘못했던 탓인지 때리자마자 그분은 뒤로 자빠졌다. 심지어 얼마나 세게 때렸던 것인지 쌍코피가 터지시고 멍도 들으신 것 같다.

"아…. 은…. 왜 이렇게 힘이 센 거야?! 나보다 호리호리한 주제에! 으…."

당연히 약하게 보일 수 있었다. 내 몸은 몸이 완전 말라보였지만 근육은 살짝 붙어있는 전형적인 채질이었으니까. 그런데 나는 예전에 사건이후로 운동을 하며 종합격투기를 배웠다. 그리고 대회도 나가 상도 받아서 선생님들께도 인기가 많았다.

"선생님 약하다고 함부로 보시면 안되죠...저같이 호리호리한 사람도 이렇게 센대 학생들을 얕보시면 안되죠..."

나는 내 이성의 끈을 풀고 그분의 멱살을 잡아 그대로 들었다.

"학생들을 얕보는 사람이 있다면 저는 이렇게 보여줄 겁니다. 학생들마다 각자의 개성이 있고 다들 만만하게 봐서는 안 된다고."

그렇게 말한 뒤 나는 그대로 그분을 벽에 꽂아 넣었다. 여전히 화는 많이 났다. 하지만 이대로 가서는 이성의 끈을 완전히 풀 것 같았다. 나는 다시 이성의 끈을 잡고 그 학생에게 말을 건넸다.

"저 학생 괜찮아요? 많이 놀랐죠?"

"어…. 네…. 근데 왜 저를 도와주신 거예요?"

"그냥 같은 처지에 있는데 도와주는 게 당연하잖아요. 저도 이런 상황에 빠지고 다른 사람이 이런 걸 한두 번 본 게 아니라서 그냥 이런 사람들은 힘을 보여줘야 그제 서야 도망가는 걸 알아차렸어요. 그래서 도와준 거예요. 힘들어 보이셔서."

"감사합니다…. 카페 같이 가실래요?"

"네 일단 가죠."

그렇게 카페를 가서 시간을 보낸 뒤 간단하게 작별 인사를 하고 그 현장을 재빠르게 벗어났다. 나는 예전에는 힘이 약한 학생에 불과했다. 하지만 운동도 하고 책도 읽고 종합격투기, 다양한 관점에서 바라보는 연습을 하자, 자신감이 생겼고 이러한 나쁜 짓을 하는 사람들에게 내 나름의 정의를 내릴 수 있었다. 그리고 나는 기숙사로 다시 돌아갔다. 돌아간 뒤 노트북을 켜서 이번에는 알라딘 사이트를 봤다. 책이 많았고 그중에 내가 마음에 드는 책을 골라서 인터넷으로 시킨다. 그렇게 시킨 뒤에 기다리고 받는다. 그리고 상호랑이 일어날 때까지 기다린 다음 일어나면 같이 또 산책하러 나간다. 그리고 또 도란도란 이야기한 뒤에 기숙사로 들어가 잠자리에 들었다. 그렇게 다음날 쉬는 날이 끝나고 얘들이 돌아오는 날이다. 그때까지도 우리는 자유 시간이다. 상호랑과 나는 서로 술래잡기를 하며 놀았다. 다 놀고 나면 언제나 얘들이 와 있었기 때문이다. 그렇게 얘들이 오고 나면 또 수업이 시작된다. 수업을 듣고 또 수업이 끝나고 기숙사에서 자고 또 반복한다. 그저 일주일 루틴. 그리고 휴일이 되면 우리는 기숙사에 남아서 신나게 논다. 아니면 집으로 가 아르바이트한다. 아르바이트를 하면서 돈을 벌고 그 돈을 학교에서 쓰는 것이다. 아르바이트하면 시간이 가는 줄 모를 정도로 신나게 한다. 너무 재밌다. 그리고 알바가 끝나면 집으로 돌아와 자고 다시 알바하고 자고 시간이 다 되면 학교로 다시 돌아간다. 계속 신나게 놀다가 어느 한 사건이 또 벌어진다. 때는 휴일 그저 산책하고 있었는데 어느 한 사람이 이상한 가루를 추천해줬다. 냄새를 맡아도 알 수 없었다. 하지만 너무 의심스러웠다. 그래서 이것이 뭐냐고 물어보자 답을 이상하게 하셨다.

"그거 그냥 알약 빻은 거야"

"그 알약 빻은 걸 제가 왜 먹어야 해요?"

"아니 내 말은 비타민이야."

"저 건강한데요?"

"일단 먹어봐~ 힘이 날거라니까?"

너무 수상했다. 그래서 일단 이분들을 데려가야겠다고 생각했다. 범죄와 관련 있을 수 있다고 생각했다.

"저기 그거 하나만 물어볼게요."

"뭔데?"

"이거 그거 맞죠? 마약."

"아니. 뭔 소리를 하는거야? 그냥 니 좋으라고 주는거지. 그냥 주겠니?"

단단한 말속에 들어있는 모습. 땀이 흐르고 눈을 마주치지 못하셨다. 마약이라는 게 더 확실해졌다. 나는 곧바로 자세를 잡고 그분들에게 바로 일격을 가했다.

"퍽!!!"

이번에는 완전히 힘을 주고 때려서인지 완전히 날아가 벽에 부딪히셨다. 그리고 나머지 사람들도 목을 졸라서 기절시키자. 그분들은 칼을 내 팔에 꽂았다.

"아!!! 아⋯. 으으으⋯."

피가 나오는 게 느껴졌다. 하지만 멈추지 않고 그대로 계속 버텼다. 그러자 경찰이 와서는 그대로 잡아갔다. 알고 보니 흉악범 이셨다.

그래서 상도 받고 돈도 두둑이 받은 나는 그대로 자리를 떠나 기숙사로 갔다.

이쯤 되면 이러한 일들이 나한테만 일어나는 게 신기할 정도다.

그리고 가는 도중에 강아지를 만났다.
너무 귀여웠다.
그래서 살짝 쓰다듬어주자. 개가 더 비비적거려서 계속 쓰다듬어줬더니 배도 까면서 헥헥 거렸다. 뭔가 길 강아지는 아니고 유기견 같았다. 그래서 유기견 신고센터에 신고를 먼저하고 계속 놀아줬더니 그 강아지가 사람이 오자. 그대로 반기고 케이지로 들어갔다. 그리고 얼마 후 유기견 센터에서 주인을 찾았다고 하셔서 기분이 좋았다. 그리고 기숙사에서 잠을 잤다.

아저씨의 야릇한 장난

그렇게 또 몇 달 뒤, 또 일이 좀 있었다. 하지만 좋은 일이 생겼다. 또 그 아저씨가 온 것 이었다. 하지만 이번에는 아저씨 행동이 달랐다. 갑자기 아저씨가 오셔서 안아 주셨다. 하지만 이제는 익숙해서…. 그냥 계속 안겨있었다. 그랬더니 이번에는 그분이 또 가슴 쪽으로 가 쓰다듬어주고 자극을 느끼도록 유두를 문질러 주셨다….

"앙…. 으. 웃으응…. 으…. 응……."

새로운 자극에 내 자지가 액을 내뿜으며 섰다. 그 모습을 본 아저씨는 이번에는 내 자지 쪽으로 내려가 대 딸을 해주셨다.

"아 앙……. 앗!!! 아…! 아아…. 응…웃…. 응…."

신선한 자극이었다. 너무나도 좋았다. 계속 그분이 내 자지를 흔들어 주셨고 나는 못 참고 그만

"아아 앙!!! 아아…. 아….하…. 하아하아…. 하…."

싸버렸다. 그리고 나에게 키스를 해주셨다. 아저씨의 혀 느낌… 부드러우면서 아저씨 특유의 체취가 내 입에 느껴졌다. 그 뒤에 아저씨는 만족한 눈빛으로 나를 바라보신 뒤 그대로 나가버리셨다.

그렇게 첫 번째로 아저씨한테 당해버린 날이었다.

상호랑의 걱정

그렇게 다음 날 아침 나랑 상호랑은 산책하러 나갔다. 그리고 서로 이야기를 나눴다.

"너 초콜렛 좋아하냐?"

"어 초콜릿 좋아하는데. 그건 왜?"

"그냥, 그래? 어떤 초콜렛?"

"밀크 초콜릿 좋아해, 진한 거는 써서 별로야."

"그러면은 자 여기,"

상호랑이 초콜릿을 건네줬다.

"이거 줄려고 그렇게 말을 했던 거냐? 진작 말을 하지 그랬냐?

"갑자기 말하기에는 좀 그렇잖냐."

"난 상관없어. 애초에 그런 거 생각했으면 내가 상관없다는 얘기 도 잘 안 하고 속으로 생각한 뒤 고맙다고 받았겠지."

"하긴 그것 맞네."

"어쨌든 초콜릿은 고마워 잘 먹을게"

"고맙긴 필요하면 말해, 초금욌 말아"

"그래."

"그런데 너는 어디 갈 거냐?"

"나 그냥 여기 주변 산책할 거야. 둘러 다니다가 맛있는 맛집도 있으면 먹으러 갈 거고."

"그러면은 같이 가도 되냐?"

"마음대로 해"

"그래, 그러면 나도 따라간다.

"응"

그렇게 나와 상호랑은 밖으로 산책하러 나갔다. 가는 도중에 맛집이 있어서 맛있는 음식도 먹고 또 놀고 산책하다가 기숙사로 들어와 또다시 잠을 잤다.

그렇게 또 아침. 오늘은 쉬는 날이라 나와 상호랑만 남는다. 상호랑은 자게 두고 나는 또 산책하러 나갔다. 그리고 나는 이번에는 진지하게 생각하기로 했다

'내가 이번으로 해서 행복해진 건 맞는데…. 아직도 의심스럽네…. 내 고민을 여전히 말하지 못하겠어. 너무 무섭네 그렇다고 말하기는 너무 부담 그럽고 말야. 하지만 이런 내 고민 들어줄 사

람 누가 있겠어. 그냥 즐기자. 참다 보면 언젠가는 가겠지. 뭐'

행복해진 건 맞지만 여전히 힘든 것은 확실하다. 하지만 참으려고 한다. 다른 이들에게 내 부담을 얹혀주긴 싫으니까.

그리고 난 뒤 방학이 찾아왔다. 알바를 하며 시간을 보내고 있던 그 때 상호랑에게 연락이 왔다. 자신이랑 같이 산책하러 가자고 먼저 신청했다. 그래서 같이 산책하러 나가는 데 뭔가 계속 의심스러웠다.

'얘 나한테 뭐 말할 거 있나' 그렇게 생각하자 상호랑이 말을 건넸다.

"어왕, 너는 가 어떻게 생각해?"

"어? 그냥 좋은 친구지"

"그렇게 생각하면은 고민은 말해줄 수 있지 않아? 우리 1학기 동안 내 고민은 일절 얘기하지도 않았잖아."

"좀 기다려 봐, 나중에 우리가 더 친해지면 그때 알려줄게"

"그래? 정말이지?"

"당연하지"

"그러면 가 너 기다릴 거야"

"그래, 그런데 갑자기 그 이야기는 왜 꺼낸 거야?"

"그저 궁금했어, 나는 너를 친구 그 이상으로도 생각하고 있는데 너는 나를 어떻게 생각할까? 하고 말이야 그리고 나는 너에게 고민을 말한 적이 있는데 너는 왜 말을 안 할까 하고."

"일단 내가 차갑게 얘기하자면 네가 나한테 고민을 얘기했다고 내가 무조건 말한다는 전제 조건은 없어."

"그건 맞지. 그런데 얘기를 해줬으면 좋겠어. 너 솔직히 진짜 힘들어 보여,"

"내가 왜 힘들어 보이는데?"

"표정 보면 잡혀 나와."

"일단 알겠어. 어쨌든 말하자면 네 그런 마음은 알겠는데 내가 말했잖아 기다려 달라고, 나중에 알려준다고, 조금만 기다려줘 내가 사람들이랑 친해지는데 시간이 오래 걸려서 그래. 미안해."

"그러면은 나 기다릴 거니까. 꼭 말해 줘야 해 안 말해주면 나도 어떻게 할진 몰라."

"알겠어"

아저씨와 첫 날 밤

그 이후로 나는 전화를 끊고 다시 알바를 하며 시간을 보냈다. 중간 중간에 헬스와 운동장도 가서 운동도 하며 체력과 힘을 키웠다. 그리고 방학이 끝나고 2학기가 찾아왔다. 이번에도 2학기 같은 사람에 같은 방이었다. 방은 우리가 1학기에 깨끗이 청소한지라 여전히 깔끔하게 지낼 수 있었다. 그리고 이번에도 어김없이 아저씨가 왔다.

"멍멍아 뭐해?"

"그냥 있어요."

"아저씨랑 놀까?"

"그러면 좋죠. 뭐."

나는 아저씨랑 화장실에 들어가 같이 놀았다. 그리고 아저씨와 나는 서로 같이 성행위를 했다. 아저씨가 내 엉덩이를 때려주며 모욕하고 나에게 키스를 갈기며 나를 흥분시켰다. 그리고 아저씨는 그대로 바지를 벗고 큰 자지와 엉덩이를 나에게 보여주시며

"멍멍아~"

"네..."

"내가 뭘 해 줬으면 해? 탑 아니면 바텀?"

"탑이요... 아저씨의 큰 자지에 박혀서 쾌락에 허우적거리고 싶어요..."

아저씨는 그대로 손가락을 내 후장에 문질러서 넓혀주셨다. 그리고 그대로 아저씨의 큰 자지를 내 후장에 박아주셨다. 나는 그대로 쾌락에 몸부림치며 끼끼거렸다. 그 반응에 만족하시는 듯 더 거칠게 박아주셨다.

"싼다 멍멍아!"

"네... 안에 싸주세요!!!"
그 뒤 아저씨의 따뜻한 정액이 내 몸에 그대로 들어갔다. 아저씨의 정액이 내 몸에 들어갔다... 나는 아저씨의 것이 된 것 같아. 기분이 좋았다. 그리고 아저씨는 그대로 나를 안아주셨다.
이번에는 아저씨가 나를 껴안아 주셨고 나도 아저씨의 품으로 파고들었다. 아저씨의 가슴과 배는 서로 달랐다. 아저씨의 가슴은 운동한 듯 딱딱하고 배는 통통하서서 안기 편했다. 너무나도 따뜻하고 포근했다. 그렇게 계속 안고 있자. 이번에는 아저씨가 내 몸을 부드럽게 만져주셨다. 엉덩이도 토닥토닥해주시면서 등을 부드럽게 쓰다듬어주셨다…. 그러자 나도 모르게….

"아우. 멍멍! 더요... 헥헥..."

계속 멍멍이라는 말을 들어서인지 개소리가 나왔다. 나도 왜인지는 모르겠다. 기분이 그냥 좋았다. 너무 편안하고 진정되고…. **'내가 사실 이런걸 원한 건가?'** 하고 내 변태적인 면모도 다시 생각하게 되었다. 부둥켜안기고 뽀뽀하고 쓰다듬 받고 너무 기분 좋은 밤을 보냈다. 다른 날보다도 너무너무 기분이 좋았다. 아저씨에게 더 포옥 안긴 뒤 아저씨는 다시 사라졌다.

아저씨와 이야기

그리고 다음 날 아침 이번에는 아침에 산책하다가 아저씨를 만나게 됐다. 나는 보자마자

"**아저씨!**" 라고 말하자 아저씨는

"**어 그래 멍멍아~**" 라고 하면서 나에게로 다가오셨다. 그리고 나는 그대로

"포옥"안겨서 아저씨를 바라봤다. 아저씨는 나를 바라보며 똑같이 포옥 안아 주셨다. 그리고 서로 걸으면서 대화를 나눴다.

"아저씨는 나이가 어떻게 돼요?"

"**35살이란다.**"

"알겠어요. 그러면 좋아하는 음식은요?"

"**나이와는 다르게 치킨이나 떡볶이 같은 거 좋아한단다. 허허….**"

"아저씨는 좋아하는 사람 있어요?"

"**아저씨는 좋아하는 사람보다는 스타일이 있지.**"

"뭔데요?"

"그냥 아저씨 말 잘 따르고 애정표현 잘 받아주고 진짜로 내 애정표현을 즐겨주는 사람을 좋아해"

"얼굴은 상관 없는 거에요?"

"그럼 얼굴은 상관없어. 너는 누구를 좋아하니?"

"저 아저씨요."

"뭣?! 나 같은 아저씨를 왜 좋아하는 거야? 응? 다른 좋은 동갑내기를 많잖냐."

"그래도 아저씨의 애정표현이 저는 좋아요. 아저씨 품도 폭신하고 따뜻해서 안심도 되고요"

나는 진심으로 말하고 있었다. 그러자 아저씨는 얼굴을 가리더니. 나를 갑자기 안아 주셨다.

"으이구 멍멍아. 나 같은 아저씨 어디가 좋다고."

"헤헤…."

그렇게 아저씨와 얘기하다가 점심시간이 되었다.

"아저씨 떡볶이 먹으러 갈래요?"

"그래 가자."

그렇게 아저씨랑 나랑 떡볶이집에 갔다.
그리고 떡볶이를 시키고 아저씨랑 같이 떡볶이를 먹었다.

"아저씨는 떡볶이의 어떤 게 좋아요?"

"그냥 자극적이고 매콤한 거?"

"아저씨는 음료는 뭐로 마셔요?"

"쿨피스 나 콜라 같은 단 음료 마셔"

"아저씨 때도 떡볶이 있었어요?"

"그치 그런데 이렇게 비싸지는 않았어. 나 어릴 때는 500원 컵 떡볶이였지. 그런데 갑자기 떡볶이가 10,000원이 되어서 깜짝 놀랐어."

"저도 놀라긴 했어요. 저도 컵볶이를 먹은 적이 있어서 그런데 뭐 물가도 오르다 보니까 저절로 오르는 거 아니겠어요?"

"그러게 말이다…. 물가는 오르고 내 월급은 안 오르니 정말 환장하겠네…."

"맞아요…. 세상 살기 쉽지 않네요…."

"그런데 너는 말하는 거 보면 벌써 20살 성인인데 너는 사회로 바로 나가도 적응 금방 하겠다."

"헤헤 감사합니다~ 아저씨도 장점 많은 걸요 뭐."

"뭔데?"

"저에게 자상하고 따뜻하다는 거"

"어이구 그게 뭐야. 순수하네."

"그리고 품이 포근하다는 거"

"이 뱃살이 좋은 거냐?"

아저씨의 뱃살은 정말이지. 포근하고 말랑했다. 진짜 아저씨 술 배. 그 자체다. 너무 좋았다.

"네 말랑하고 폭신하잖아요

"글쎄 이거 뺄까 생각하고 있었는데….

"아저씨 품에 안 안겨요. 그러면은"

"에휴... 그래, 안 뺄 거다. 대신 더 찌지도 않을 겨."

"네 그러면 좋아요. 건강도 생각해야죠."

"그래그래."

"이제 어디 놀러 갈까요?"

"공원이나 가자. 이야기 나누자"

"그래요."

그렇게 공원으로 가서 서로 얘기를 나눴다.

"아저씨는 동물 좋아해요?"

"그렇지"

"어떤 동물이요?"

"강아지나 고양이 같은 반려동물 좋아한단다."

"어 저 반려동물에 대해서 관심도 많고 배우고 있어요."

"그래? 그러면 뭐 좀 물어봐도 되겠니?"

"당연하죠."

그렇게 아저씨는 내게 반려견을 보여주셨다. 이제 막 1년 지난 리트리버다. 사고를 많이 쳐서 문제라고 한다….

"보통 리트리버가 2년에서 3년까지는 사고를 많이 치다가 얌전해지는 견종이고 그리고 고의로 그런 건 아닐 거예요 확실히 크기가 크다 보니까 꼬리만 흔들어도 화분이 떨어지는 얘들이라서 떨어지면 위험한 물건 같은 거 화분이나, 깨지기 쉬운 것 들은 웬만하면 치우시면 좋아요. 그리고 훈련은 가르치는 게 좋은데 앉아, 기다려만 가르치면은 적응되는데 강아지들은 인내심이 그리 크지가 않아요. 그러니 조금씩 많이 해주면은 도움이 될 거에요.”

“반려견에 대해서 잘 알고있네. 다 배운 거야?”

“네, 반려동물에 대해 관심이 많아서….”

“그래 알려줘서 고맙다.”

“네, 저도 정보 공유할 수 있어서 좋았어요”

“이제 돌아갈까? 밤인데”

“네, 좋아요”

그렇게 서로 지나가고 방학이 끝났다.

더는 못 참겠어!

1년이 지났다. 그 전보다는 생활이 많이 나아졌지만, 아직도 우울한 건 그대로이다. 상호랑이랑 친하지만 믿지는 못해 고민을 한 마디도 못 꺼냈다. 하지만 그분은 계속 나타나 나를 편안하게 해주셔서 좋았다. 그래서 그 사람이 오기만을 기라는 때도 있었고 잠을 안 잔적도 있었다. 그 사람은 그것도 눈치채신 듯 와서 계속 나와 놀아줬다. 하지만 최근 한 가지 안 좋은 점은 자꾸 고민을 말하라는 그것이라고 하지만 무서워서 말하지 못하겠다. 그래서 대충 둘러대거나 나중에 친해지면 말해주겠다고 했다. 하지만 말하지 못하겠다. 그냥 오늘도 둘러대야지.

"이왕, 잠깐 옥상으로 좀 따라와 봐."

"응?"

이상하게 나를 옥상으로 불렀다. 이런 적은 없었는데? 설마 나를 어떻게 하려고 하는 걸까? 의심하면서 옥상으로 올라갔다. 그러자 갑자기 문을 잠갔다. 그리고 나를 빤히 바라봤다. 그리고 나를 보더니 한숨을 내쉬었다. 그러더니 잠시 후 상호랑이 말했다.

"너 내가 이럴 줄 알았다."

갑자기 뭔 말이지? 싶었지만 그 이유를 잠시 후에 들을 수 있었다.

"네 손 모양이랑 팔이 어디에 있는지 봐볼래?"

나는 내 손이 있는 곳을 바라보았다. 그 손의 위치는 내가 위급할

때 싸우려고 가드를 취하는 위치였다. 그리고 진지하게 상호랑이 물
어보았다.

"너는 나 믿나?"

나는 거짓말로
"믿지~ 왜?" 라고 말했다.

상호랑은
"믿으면 내가 그 자세를 하나? 나도 공부하고 싸워봐서 아는데
그거 종합격투기 자세야. 심지어 너 지금
거의 완벽에 가까울 정도로 자세를 취하고 있어
그런데도 내가 나를 믿는다고? 나 지금 솔직히
내 감정 말해줄까? 엄청나게 화났어. 지금 우리가
1학기 즉 6개월이 지나도록 이렇게 지내왔는데
나는 너한테 내 고민을 말했는데 너는 내가
말하라고 하는데도 왜 말을 안 해?"

"그건….."

"왜 말을 안 해? 내가 그렇게 못 믿어?
너한테 할 수 있는 건 나 해줬어. 먹을 것도 주고
내가 해달라는 거 대신해주고 그런데도
지금 이렇고? 왜 말을 안 해 왜 왜?!"

상호랑이 소리 지르며 말했다.

"내가 그렇게 못 믿겨?!

- 46 -

나를 여태까지 뭐라고 생각한 거야? 친구? 절친? 아니면 친구로도 생각을 안 한 건가? 뭔데?!!!"

"닥쳐!!!"

순간 화나서 소리를 질렀다.

상호랑도 순간 놀라서 조용히 했다. 그 순간 말하고 싶지 않았는데 마음이 참을 수 없었는지 말하게 되었다.

"네가 내 사정을 알아? 내가 지금 친구만 8명을 떠나보냈어. 심지어 중학교 3년이라는 시간에!!! 진정한 친구 1명도 못 사귀고 다 떠났다고…. 내 곁을 다 떠났어!!!"

말이 멈추지 않았다. 눈 옆에서는 미지근한 물이 자꾸 흘러 기분도 나빴다.

"내가 초등학교 1학년부터 6학년 전 학년을 다 왕따로 보냈어. 신고도 해봤는데 촉법소년이라며 안 된다고 하더라. 그리고 왕따를 받아서 사람도 못 믿어!!! 왜냐?! 그 사람이 어떻게 할지 모르는데 그 왕따 하는 얘들 처음에는 나한테 잘해주다가 점점 왕따가 된 거라고…. 그런데 어떻게 믿어!!! 그래서 내가 너를 좋아하고 사랑하는데도 못 믿는다고…. 너를 싫어하는 게 아니야…. 그냥 이런 진실을 말하는 게 두려웠어. 내가 내 진심을 말했는데 중학교 친구들도 서서히 나를 피하고, 초등학교 때 그걸로 놀림 받고…. 너도 나를 놀릴까 봐…. 너를 사랑하는데…. 좋아하는데…. 너조차도 떠나보내기 싫었어…. 너조차도 없으면 내 마음에 진짜 공허만 남을 것 같아…. 네가 날 떠날까 봐…. 그래서…. 그래서…."

점점…. 목소리가 안 나오고 흐느껴지지만, 말은 멈추지 않았다.

"너를 좋아하는 이유는 네가 자상 하ㄱ… 따뜻해서…. 언제나 내 편 들어주고 따뜻하게 대해줘서…. 그래서 너…. 만은 떠나보내…. 기 싫었어…. 그래서 말하지 못 한 거야 너무 무서워서 그리고 네가 떠날까 봐! 그런데 내가 이렇게 떠나보냈는데도 왜 이렇게까지 버텨왔는지 알아…? 내가 죽으면 그 내가 떠나보낸 그 애들 다시 태어났을지도 모르는데…. 어떻게 안 살아있어…. 기도해야지…. 잘 살아달라고…. 행복하게 지내라고…. 말하기 위해서 안 죽은 거야…. 이제 됐어…??"

내 눈 주변은 이미 축축하게 되어있었고 눈물은 계속 흐르고 있었다…. 멈추려고 노력했지만 멈추지 않았다….

"왜…. 계속…. 흐르는 거야…! 그만 흘러…. 제발……."

하지만 야속하게도 눈에서 땀은 계속 흐르고 있었다….

"울은 게 2년 만이야…. 제발 멈춰줘…. 제발……. 흐…. 흑……."

갑자기 상호랑이 일어나더니 조심히 안아줬다….

"흑…. 흑흑….흐으으…흑…"

그렇게 오랜 시간이 지나고서야 드디어 멈췄다…. 상호랑은 다른 곳에 가서 생각하다가 나를 보고 내 쪽으로 왔다. 내가 울음을 그치는 것을 기다려주고 있었나 보다.

"나 얼마나 울었어?"

"1시간 30분, 진짜 길게 울더라…. 하…."

상호랑은 우물쭈물하더니 입을 열었다….

"많이 힘들었겠다…. 일단 그것 하나만 알려줄게. 난 너 절대로 안 떠난다. 그리고 난 언제나 네 곁에 머무를 거고, 솔직히 나도 너…. 흠…. 이건 졸업식 날에 얘기해줄게. 그리고 그거 나 아니라고 했었잖아 새벽마다 오는 그 사람."

"응 맞아…. 설마?"

"그 설마가 맞아 그거 나야. 내가 예전부터 우울
해한다는 사실 날 좋아한다는 사실은 예전부터 알
고 있었어. 그래서 그냥 너 더 살펴볼 겸 그냥 변
장했던 거야. 자고 있었던 건 그냥 내가 가지고
있는 인형 내 모양처럼 것애서 눕혀두고 이불 덜
은 거야. 어두 우면 웬만한 건 모르니까. 나는 언
제 이렇게 생각한 적도 있다. 얘 왜 이렇게 눈치
가 없지 하고 ㄱㄱㄱ 뭐 어쨌든 마지막 말은 무시
하고 이리 와."

이리 와라는 말과는 다르게 나에게 다가와 그대로
말없이 날 안아 주고 머리를 쓰다듬어줬다…. 좋아
하는 사람에게 안겨서 쓰다듬기를 받는 것…. 확실
히 느낌이 좋아…. 그 사람이 그 친구라니…. 뭔가
안겨있는 게 더 좋게 느껴졌다."

나는 기분이 좋아서 더 폭 안겼다. 그것을 또 눈치
챈 듯 나를 더 쓰다듬어주고 등도 토닥여줬다. 따
뜻하고, 포근하고 폭신하고, 부드럽고…. 그때 그
느낌 그대로였다 왠지 소파에 있는 그것보다 더 편
안하고 푹신했다…. 그렇게 계속 안겨있다가 서로
눈빛을 봤다. 서로 분노의 눈빛은 사라진 상태이었
다. 그저 서로 애정이 어린 눈빛으로 서로를 바라
보며 사랑의 눈빛으로 보고 있었다…. 그런데 갑자
기 궁금한 것이 생겼다.

 "그러면은 그 아저씨가 너라는 거야?"

"응 그것도 나야"

"나이는 그러면 뭐야?"

"그냥 속인 거지 그런데 잘 속아서 오히려 귀엽
녀와 순진해 빠져서는…."

그렇게 서로 계속 안고 있다가
"내려갈까?"

"응 내려가자" 라고 한 뒤 옥상을 내려갔다.

드디어...

그렇게 서로 친밀감도 쌓이고 나는 더 믿을 수 있게 되어 점점 장난도 치며 애정표현을 했다. 서로 부둥켜안고 자기도 하며 상호랑이 코를 톡톡 터치해줄 때마다 기분도 좋았다. 그렇게 2년이 지나 졸업식 날, 나는 상호랑을 좋아한다는 것이 확실해졌다. 그렇게 상호랑을 불렀다.

"늑개야~"

"응? 왜~?"

"같이 옥상에 좀 가주라"

"그래"

그렇게 옥상에 두근두근하는 마음으로 올라간 뒤 문을 잠갔다. 서로 이제 둘만 남았다. 보는 사람도 없었다. 내가 고백하면 됐다. 말하려고 하는데?!

"그 늑ㄱ...읍!!!"

"츄릅 음...우음...음....하아...하...."

갑자기 상호랑이 키스를 했다. 이번에 신기하게 방어본능이 나오지 않았다. 오히려 좋았다.
서로 그렇게 키스를 했다. 서로 혀가 느껴지고 숨

의 그 따뜻함과 오돌도돌한 혀의 촉감 등과 목에서
느껴지는 손의 촉감까지 좋았다…

"아...음.....하아..하...아...슈릅...츄릅...하아하
아..."

그렇게 얼마나 흘렀을까….

그렇게 늑개가 혀를 뗐다…. 나는 아쉬움에 고개를
숙였다…. 그때 늑개가 말했다….

"그래서 사귀자요? 당연히 그래야지 내 멍멍아~하하 이리와~
주인님한테 안겨~"

"멍!!!"

나도 모르게 개 목소리가 나오고 그대로 안겼다….
상호랑은 백 허그를 하고 내 배를 쓰다듬어줬다.
그때 그 사람의 촉감과 똑같았다...크고 두꺼운 이
손 촉감...너무 좋았다...부드러우면서 따뜻하며 편
안해지는 이 느낌과 촉감...그렇게 나는 그렇게 그
촉감을 받고있었는데. 늑개가 갑자기 말했다.

"나는 내가 고백할거 알고 있었어. 친구 생활 2
년 차인데 서로 좋아하니까 나도 너 좋아하고 그
러니 널 찾아볼 수밖에 없지…. 허허 어쨌든 우리
사귀는 거다?"

나는 곧바로 고개를 끄덕였다…. 드디어 나의 첫
동성 연인이 생겼다는 생각에 기분이 좋아 더 품속
으로 파고들었다…. 상호랑은 그것을 받아주면서 배
를 쓰다듬어줬다.

저자의 말

저의 첫 출판인 책입니다. 확실히 책을 써보니, 재밌긴 하다는 느낌이 들었습니다. 주인공을 상상하는 데 그리 시간이 걸리지 않았지만, 이랑의 친구인 상호랑라는 친구를 생각해내기까지 시간이 오래 걸렸습니다. 상호랑라는 이름을 생각하기 까지는 그렇게 오래 걸리지는 않았지만 늑개라는 친구의 생김새, 특징들을 머릿속에서 꺼내 소설에 쓰는 그 상황이 익숙치 않았습니다. 그리고 아직 띄어쓰기와 어휘력이 부족한지라 중간중간에 애를 먹으며 고쳐쓰기도 했습니다. 그럼에도 불구하고 엄청 재밌게 이 책을 썼고 아주 만족합니다. 이 책이 유행하지는 않겠지만 그저 한 학생의 책이구나 하며 넓은 마음으로 봐주시길 바랍니다.
감사합니다.

도서명 학교에서 동성연인이 생겼습니다

발 행 | 2024년 3월 30일
저 자 | 개
펴낸이 | 한건희
펴낸곳 | 주식회사 부크크
출판사등록 | 2014.07.15.(제2014-16호)
주 소 | 서울특별시 금천구 가산디지털1로 119 SK트윈타워 A동 305호
전 화 | 1670-8316
이메일 | info@bookk.co.kr

ISBN | 979-11-410-7677-1

www.bookk.co.kr